嬰幼兒食譜

主編：

陳忠良

聯合報、中華日報、台灣新生報專欄作家；國際機場旅館冷飲師；中壢華爾街西餐廳吧枱顧問；台北可麗西餐廳吧枱顧問。

烹飪調理：

曾玉姿

曾任媽媽教室烹飪班講師、現任唐代感性生活餐飲製作顧問；具豐富家常菜烹調及點心之製作經驗。

烹飪助理：

陳忠賓

感謝下列廠商熱情協助拍攝製作：

金飛羚咖啡食品餐具有限公司、陳忠良餐飲調理工作室、醉老六啤酒屋、鄉根西餐廳、雙園衛生所。

劉天祥攝影工作室　TEL／5056796

「愛·智」和「彩色」

促進眞·善·美生活的理想

科學發達，物質文明進步，現代生活早已顯示出自動化、彩色化的趨勢；尖端科技的神速發展，眞讓人有脚步跟不上的惶恐。因此，精神糧食——出版品，必須供應「愛·智」和「彩色」，作爲美化生活的原動力。

「愛·智」，過去被詮釋爲哲學的一元，使人有玄妙之感。許多學者，從心理學的觀點，積極鼓勵人們去掌握「愛·智」，作爲提升人類生活品味的基點，更可以具體的行動，發揮我們的潛力，建設我們的理想，讓我們的生活臻於眞、善、美。

因此，現代化的出版品，不只是在贏得讀者同情，而且是引導讀者如何去實踐的具體行動方案。不僅要內容充實，言之有物，還要使讀者自然樂意地去嘗試、實驗；爲達成此一目標，出版品必須具體的形象化、彩色化，大自然本是五彩繽紛的！但我們在起步時，只能黑白攝影，白紙印黑字。彩色電視和電影的成就，已回歸了大自然本來的面目。報紙、雜誌也力求色彩的豐富，圖書出版的彩色化更是時勢所趨。

唐代文化事業有限公司所有工作同仁，秉持兢兢業業的精神，邀請國內名家及攝影家，共同製作一系列食藝、手工藝、花藝……等提升活品味的「感性生活」精美彩色叢書——以精美的圖片和雋永的文辭，詳細說明製作的每一道程序，配上高品質的印刷，使讀者在展讀之餘，可以依序自己動手做。而用以贈禮，更是實用、高貴、美觀、大方。

衷心希望您會喜歡這套「高品質，低價位」的好書，也希望在您品讀玩味之餘，能帶給您無盡的喜悅與滿足。

唐代文化編輯部

目　錄

果汁

材料： 柳丁、番茄或橘子等水分多的水果。

■加餵年齡
嬰兒4個月即可餵食。

■營養量
1.柳丁一個（中）約150公克，含維他命C58公絲。
2.番茄一個（中）150公克，含維他命C43公絲。

■功用
可以補充母奶、牛奶內維他命C之不足，增加抵抗力，促進生長發育，預防壞血病。

■餵法
第一次餵量約一茶匙（用茶匙或奶瓶餵均可），以後漸增多，最多每次勿超過80C.C.。

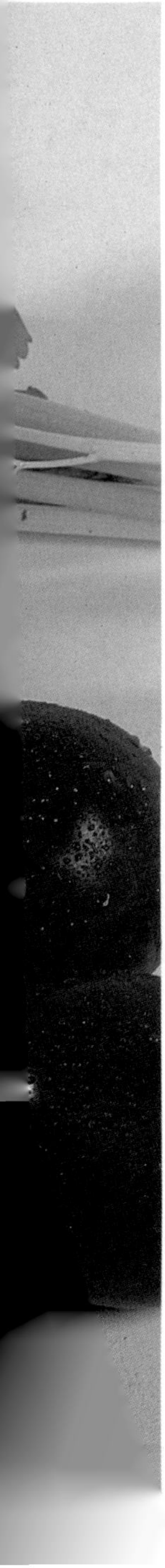

作法：

❶先將水果外皮洗淨備用。

❷柳丁或橘子橫切成兩半，取乾淨之容器，將汁擠於容器內，再加入等量之冷(溫)開水(如果嬰兒喜食甜味，可加入少許果糖）。

❸番茄選擇外皮完整熟透的，用熱開水浸兩分鐘後，去皮，再用乾淨紗布包起，用湯匙壓擠番茄成汁即可。

果泥

材料： 熟軟而纖維少的水果，如木瓜、香蕉、蘋果、香瓜或其他肉質水果。

■加餵年齡

嬰兒5個月可開始餵食。

■營養量

1. 木瓜100公克，含維他命C 73公絲。
2. 香蕉一根（中）80公克，含維他命C 6.4公絲。
3. 蘋果一個（大）200公克，含維他命C 10公絲。
4. 香瓜一個（大）300公克，含維他命C 66公絲。

■功用

可預防壞血病，保護皮膚黏膜，促進生長。

■餵法

第一次只給一茶匙，慢慢增加到每天三湯匙。

作法：

❶將水果洗淨去皮。

❷用湯匙刮取果肉，碾碎成泥或用擦板磨成水果泥。

蛋黃泥

材料： 各種蛋類如雞蛋、鴨蛋、鵪蛋。

■加餵年齡
嬰兒7個月後即可開始餵食。

■營養量
雞蛋一個（中）50公克，含蛋白質6.2公克，鐵1.6公絲。

■功用
含蛋白質、鐵質，有利於身體各部之生長發育。

■餵法
1. 先由少量開始（八分之一個蛋黃）。
2. 以後漸增加，至八～九個月後可吃整個蛋黃。

■注意
1. 調化之後，漿不可太乾，以防噎到嬰兒。
2. 慢慢餵食，勿操之過急。
3. 吃後再餵幾口開水，以洗淨口內殘留之蛋黃漿。

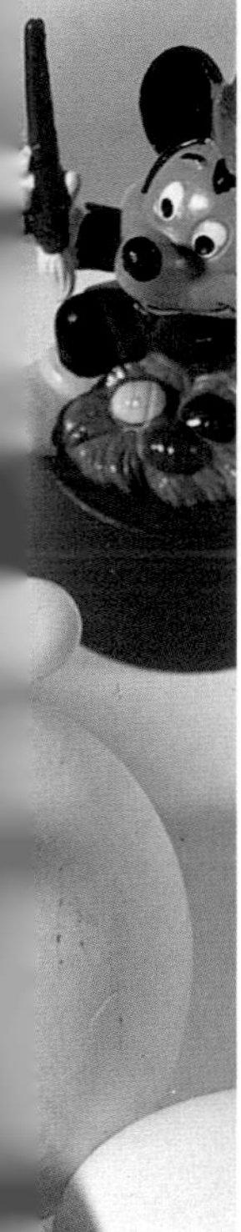

作法：

❶將蛋煮老（蛋在冷水中煮開後再煮十分鐘）。

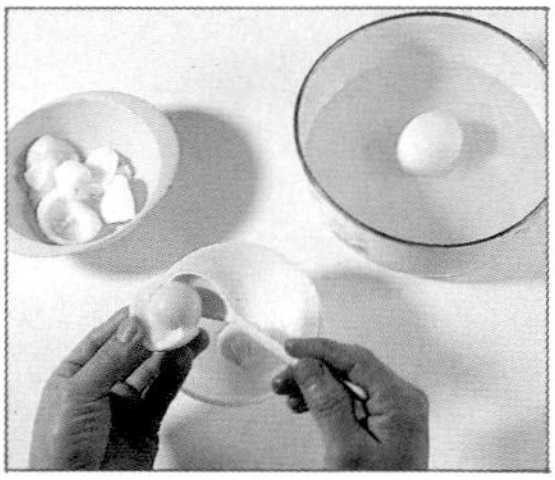

❷將蛋黃取出放在碗中。

❸用冷開水、菜湯、米湯或牛奶少許，調化成漿即可。

菜泥

材料：綠色蔬菜、胡蘿蔔、馬鈴薯、豌豆等。

加餵年齡

嬰兒4個月可開始餵食。

營養量

1. 胡蘿蔔100公克，含維他命A13000國際單位。
2. 洋山芋100公克，含維他命C14.7公克。
3. 豌豆100公克，含蛋白質23.1公克。
4. 菠菜100公克，含鈣70公絲，鐵2.5公絲，維他命A15000國際單位。

功用

有助於身體的生長、造血、通便，並保護皮膚黏膜。

餵法

1. 第一次只給一種蔬菜泥。
2. 從一茶匙量開始漸漸增加到六～八湯匙。

注意

1. 每次均應以新鮮菜泥餵之以保持食物的營養價值。
2. 煮菜水勿丟棄，水中含部分之維他命。

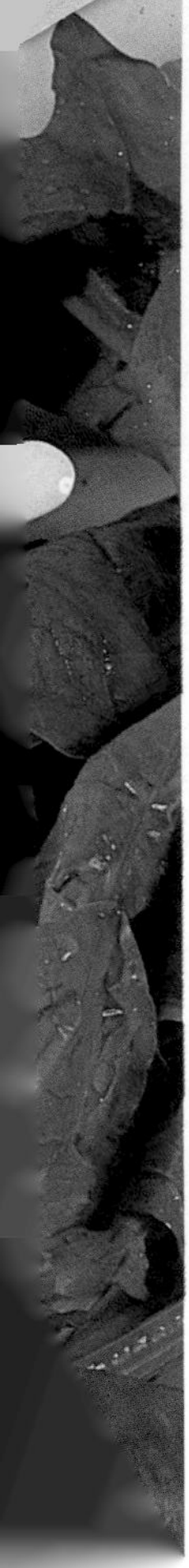

作法：

❶綠色蔬菜洗淨切碎，加鹽及少許水，加蓋煮熟待涼或加在蛋內蒸熟或放在粥裡煮熟均可。

月蘿蔔、馬鈴薯、豌豆等
淨後用少量的水煮熟。
匙刮取或壓碎成泥，
切碎在粥裡餵食。

肝泥、肉泥

材料：豬、牛、雞等的肝，瘦豬肉。

■ **加餵年齡**

嬰兒7—9個月大即可開始餵食。

■ **營養量**

1. 瘦肉100公克，含蛋白質14.6公克，維他命B_1 0.7公絲，B_2 0.12公絲。
2. 豬肝100公克，含蛋白質20公克，鐵10.2公克，維他命A15000國際單位。

■ **功用**

促進生長發育。

■ **餵法**

1. 以一小茶匙開始，漸漸增加，最多每天勿超過兩湯匙。
2. 最多一種，習慣後可再加另外一種。

作法：

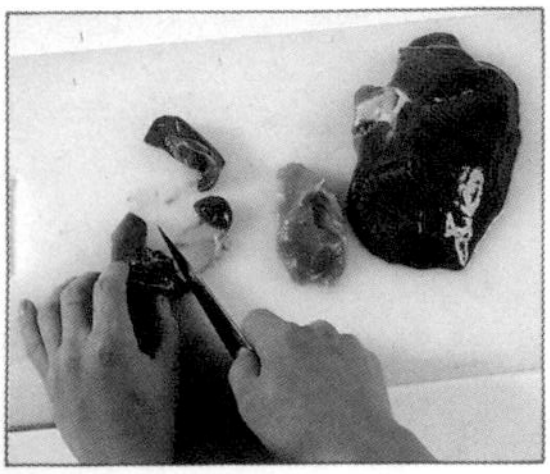

❶將肝臟或瘦肉洗淨去筋。

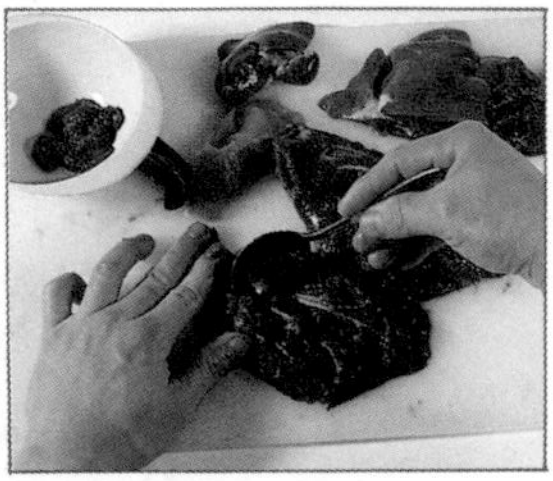

❷將肝臟或瘦肉置於砧板或盤上，用不銹鋼湯匙取同一方向以均衡的力量刮。

❸將刮出的肝泥或肉泥置於碗內，加入少許冷水、鹽攪勻，蒸熟或加入粥內煮熟。

蒸蛋

材料：雞蛋、鴨蛋等。

■ **加餵年齡**
嬰兒10—12個月後可開始餵食。

■ **營養量**
雞蛋一個（中）50公克，含蛋白質6.2公克，鐵1.6公絲。

■ **功用**
促進身體各部之生長發育。

■ **餵法**
1. 先由少量一湯匙開始。
2. 漸漸增加至一天一個。

■ **注意**
蛋打散加水後再用筷子攪拌，以免蛋白沈於碗底結硬塊。

作法：

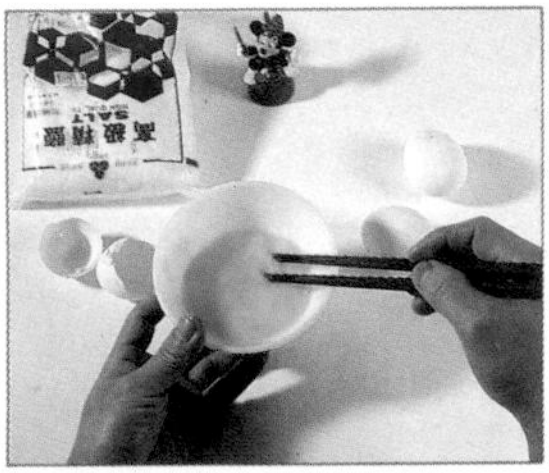

❶將整個蛋敲開置於飯碗內，用筷子打散，加少許食鹽。

❷加冷水於碗中至八分滿。

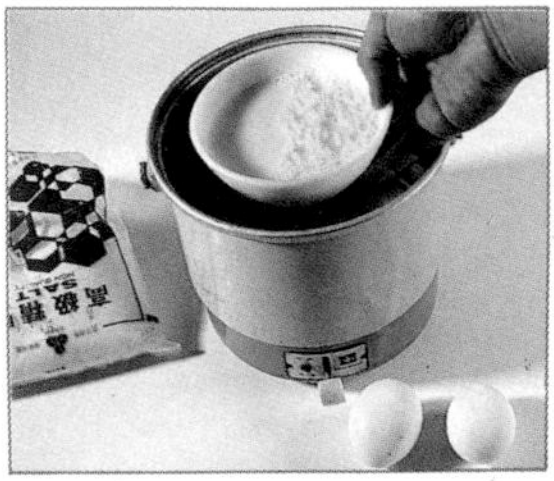

❸置於鍋內或電鍋內蒸熟即可。

蝦仁通心麵

材料：小包通心麵半包、蝦仁4兩、豬肉3兩、小白菜6棵、蔥2支、沙拉油2大匙、清水8杯、黑胡椒、鹽、味精少許。

※註：1杯水的容量，等於150cc。

作法：

❶鍋內放約2～4公升水，煮沸後，把通心麵投入，加少許鹽，煮約12分鐘，待熟軟後，撈起沖過冷水瀝乾備用。

❷將蝦仁洗淨，蔥洗淨切碎，豬肉切絲，小白菜切段備用。

❸將沙拉油熱鍋後，加入蔥花及肉絲爆香。

❹加入8杯清水於鍋中，待水沸騰後，再加入通心麵。

❺把蝦仁、小白菜加入鍋中。

❻待沸騰後，即加入黑胡椒、鹽、味精即可。

肉絲麵

材料： 麵條1包、蝦仁4兩、豬肉4兩、小白菜6棵、芹菜2棵、蔥2支、沙拉油2大匙、清水8杯、醬油、鹽、味精少許。

作法：

❶鍋內放約2～4公升水，煮沸後把麵條投入，加少許鹽煮約12分鐘，待熟軟後，撈起沖過冷水瀝乾備用。

❷把蝦仁、豬肉、小白菜、蔥、芹菜洗淨，豬肉切絲，小白菜切段，蔥、芹菜切碎備用。

❸將沙拉油熱鍋後，加入蔥花及肉絲爆香，然後滴入少許醬油炒入味。

❹加入8杯清水於鍋中，待水沸騰後，再加入煮熟的麵條。

❺把蝦仁、小白菜加入鍋中，待沸騰後，再加入鹽、味精及芹菜即可。

什錦米粉

材料： 小包裝米粉1包、豬肉3兩、蝦仁2兩、牡蠣3兩、烏賊半尾、小白菜6棵、芹菜2棵、蔥2支、沙拉油3大匙、蒜仁3粒、醬油少許、清水8杯、黑胡椒、鹽、味精少許。

作法：

❶將米粉、蝦仁、豬肉、烏賊、小白菜、牡蠣、芹菜、蔥洗淨備用。

❷將豬肉、烏賊各切絲，蔥切碎，蒜仁拍碎，小白菜切段。

❸將沙拉油熱鍋後，加入蔥、蒜仁、肉絲爆香，然後滴入少許醬油炒入味。

❹加入8杯清水於鍋中，待沸騰後，再把牡蠣、烏賊、蝦仁、米粉放入鍋內。

❺待沸騰後，即放入小白菜、鹽、味精、黑胡椒、芹菜即可。

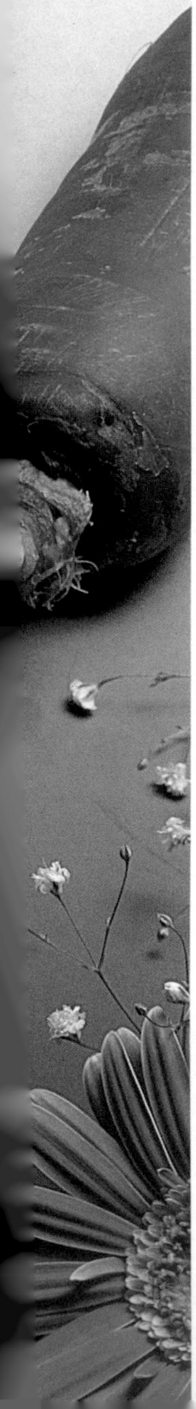

冬粉鴨

材料： 鴨1/4隻、冬粉1小包、薑3片、清水8杯、冬菜、香菜、香油、鹽、味精各少許。

作法：

❶把鴨肉、薑、香菜洗淨，冬粉泡水待軟備用。

❷將鴨肉切塊，薑切絲，香菜切碎，冬粉切段。

❸加入8杯清水然後把薑、鴨肉置入鍋內煮熟透，再把冬粉加入煮至熟軟。

❹待沸騰後，即加入冬菜、香油、鹽、味精、香菜即可。

紫菜麵線

材料：麵線半束、紫菜1張、豬絞肉3兩、牡蠣4兩、蔥2支、清水7杯、沙拉油2大匙、味精少許。

作法：

❶將蔥、牡蠣、紫菜泡水，待軟後洗淨，蔥切碎備用。

❷將沙拉油熱鍋後，加入蔥花、豬絞肉爆香。

❸加入7杯清水於鍋中，待沸騰後，再把紫菜、牡蠣、麵線放入，然後加入味精即可。

米苔目

材料：米苔目6兩、豬肉3兩、韭菜7棵、蔥、清水6杯、沙拉油3大匙、黑胡椒、鹽、味精少許。

作法：

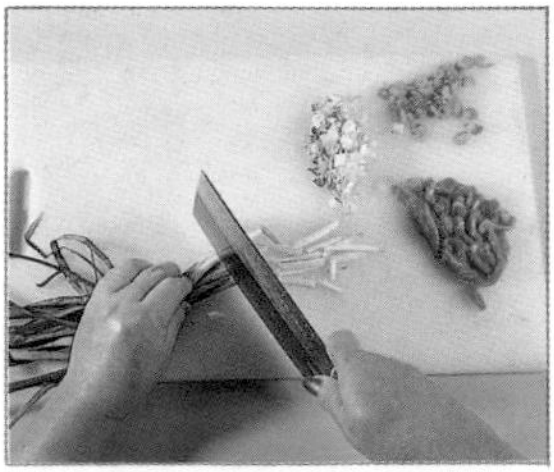

❶將豬肉、蝦米、韭菜、蔥洗淨，豬肉切絲，韭菜切段，蔥切碎備用。

❷將沙拉油熱鍋後，加入蔥花、蝦米、豬肉爆香使其入味。

❸加入6杯清水於鍋中，待沸騰後，把米苔目、韭菜置入鍋內。

❹沸騰後即加入鹽、味精、黑胡椒即可。

粿仔湯

材料： 粿仔條10兩、豬肉3兩、蝦米少許、韭菜6棵、蔥2支、清水6杯、沙拉油3大匙、醬油少許、黑胡椒、鹽、味精少許。

作法：

❶將豬肉、蝦米、韮菜、蔥洗淨，豬肉切絲，韮菜及粿仔條切段，蔥切碎。

❷將沙拉油熱鍋後，加入蔥花、蝦米、豬肉爆香，然後滴入少許醬油炒入味。

❸加入6杯清水於鍋中，待沸騰後，把粿仔條、韮菜置入鍋內。把鹽、味精、黑胡椒加於鍋中即可。

鹹粿湯

材料：鹹粿6兩、豬肉3兩、蝦米少許、韮菜6棵、芹菜2棵、蔥2支、清水6杯、沙拉油3大匙、醬油少許、黑胡椒、鹽、味精少許。

作法：

❶將豬肉、蝦米、韮菜、芹菜、蔥洗淨，豬肉切絲，蔥、芹菜各切碎，韮菜切段，鹹粿切長條塊。

❷將沙拉油熱鍋後，加入蔥花、蝦米、豬肉爆香，然後滴入少許醬油炒入味。

❸加入6杯清水於鍋中，待沸騰後，把鹹粿、韮菜置入鍋內。

❹加入鹽、味精、芹菜、黑胡椒即成。

香菇雞絲麵

材料： 油麵半斤、雞胸肉半個、香菇6朵、蔥2支、竹筍半支、清水6杯、醬油少許、沙拉油3大匙、鹽、味精少許。

作法：

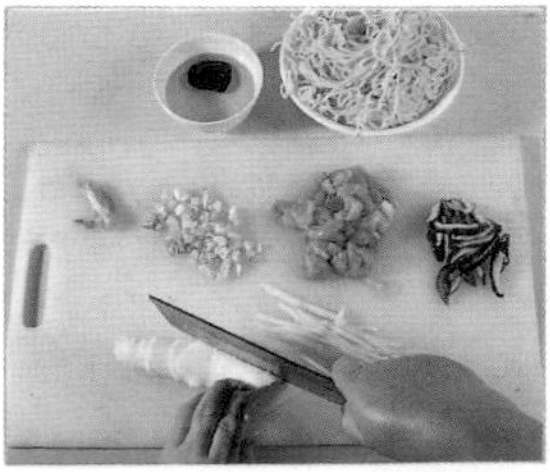

❶將雞胸肉、蔥、竹筍洗淨，香菇泡水待軟，雞胸肉、竹筍、香菇各切絲，蔥切碎備用。

❷將沙拉油熱鍋後，加入蔥花、雞胸肉、香菇爆香。

❸加入筍絲輕炒數下，再滴入少許醬油炒入味。

❹加入6杯清水於鍋中，待沸騰後，把油麵置入鍋內。

❺再加入鹽、味精即可。

海產粥

材料： 白米1杯、芋頭$\frac{1}{3}$個、紅蘿蔔半條、竹筍半支、豬肉3兩、蝦仁3兩、牡蠣3兩、芹菜1棵、蔥2支、清水8杯、沙拉油3大匙、黑胡椒、鹽、味精少許。

作法：

❶將芋頭、紅蘿蔔、竹筍各去皮洗淨。

❷把白米、豬肉、蝦仁、牡蠣、芹菜、蔥洗淨，豬肉、芋頭、紅蘿蔔、竹筍各切丁塊，蔥、芹菜切碎備用。

❸將沙拉油熱鍋後，加入蔥花、豬肉爆香。

❹把芋頭、紅蘿蔔、竹筍、白米一起下鍋，輕炒數下。

❺加入8杯清水於鍋中，待米煮熟透後，把蝦仁、牡蠣置入鍋內。

❻加入鹽、味精、黑胡椒、芹菜即成。

麵疙瘩

材料： 麵粉4兩、蕃薯粉2大匙、豬肉3兩、蝦米少許、小白菜3棵、蔥2支、清水6杯半、醬油少許、黑胡椒、鹽、味精少許。

作法：

❶把麵粉、蕃薯粉置入容器內加半杯清水，充分攪拌後，揉成麵糰備用。

❷將豬肉、蝦米、小白菜、蔥洗淨，豬肉切絲，小白菜切段，蔥切碎備用。

❸將沙拉油熱鍋後，加入蝦米、蔥花、豬肉爆香，然後滴入少許醬油炒入味。

❹加入6杯清水於鍋中，待沸騰後，把麵糰用刀子削下鍋，續煮熟透。

❺再將小白菜、鹽、味精、黑胡椒放置入鍋內即成。

蕃薯麵條

材料：蕃薯1條（約4兩）、麵條1/3包、韮菜7棵、蔥2支、豬肉3兩、蝦仁3兩、清水7杯、鹽、味精少許、沙拉油2大匙。

作法：

❶鍋內放約2～4公升水，煮沸後把麵條投入，加少許鹽煮約12分鐘，待熟軟後，撈起沖過冷水瀝乾備用

❷將豬肉、韮菜、蝦仁、蔥洗淨，蕃薯去皮洗淨，豬肉切絲，韮菜切段，蕃薯切塊，蔥切碎備用。

❸將沙拉油熱鍋後，加入蔥花、豬肉爆香，然後再把蕃薯也炒香使其入味。

❹加入7杯清水於鍋中，待沸騰後，把蝦仁、熟麵條置入鍋內。

❺再把韮菜、鹽、味精加入即成。

芋頭米粉

材料：芋頭1條（約4兩）、米粉半包、小白菜6棵、豬肉3兩、蝦仁3兩、蔥2支、芹菜1棵、沙拉油2大匙、清水8杯、黑胡椒、鹽、味精少許。

作法：

❶將米粉、豬肉、小白菜、蝦仁、蔥、芹菜洗淨，芋頭去皮洗淨切塊，小白菜切段，豬肉切絲，蔥、芹菜各切碎備用。

❷將沙拉油熱鍋後，加入蔥花、豬肉爆香，然後再把芋頭也炒香使其入味。

❸加入8杯清水於鍋中，待芋頭煮熟透後，把米粉、蝦仁置入鍋內。

❹再把小白菜、鹽、味精、芹菜、黑胡椒加於鍋內即成。

感性生活 25

香菇雞肉絲粥

材料：白米1杯、雞胸肉半個、香菇6朵、豌豆3兩、蔥2支、芹菜1棵、沙拉油3大匙、清水8杯、黑胡椒、鹽、味精、醬油少許。

作法：

❶將白米、雞胸肉、蔥、芹菜、豌豆洗淨，香菇泡水待軟，雞胸肉、香菇各切絲，芹菜、蔥各切碎備用。

❷將沙拉油熱鍋後，加入蔥花、雞胸肉、香菇爆香，然後滴入少許醬油炒入味。

❸再把白米下鍋續炒數下。

❹加入8杯清水於鍋中，待米煮熟透後，把豌豆、芹菜置入鍋內。

❺加入鹽、味精、黑胡椒即成。

洋菜果凍

材料：洋菜3錢、清水6碗、鳳梨¼粒、罐裝水蜜桃4片、砂糖少許。

作法：

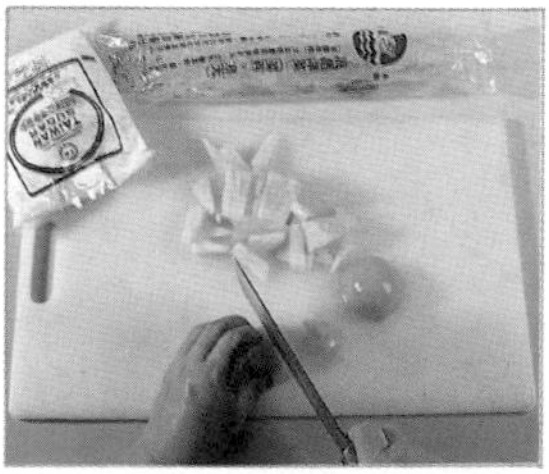

❶將去皮鳳梨和水蜜桃切丁塊備用。

❷把已泡軟的洋菜加6碗清水於鍋中煮沸後，把鳳梨和水蜜桃置於鍋內續煮至均勻入味即可。

❸將砂糖加於鍋內（甜度視個人喜好增減）。

❹以慢火續煮15分鐘，即起鍋倒入碗內，待涼凝固後，置於冰箱內冰涼即可食用。

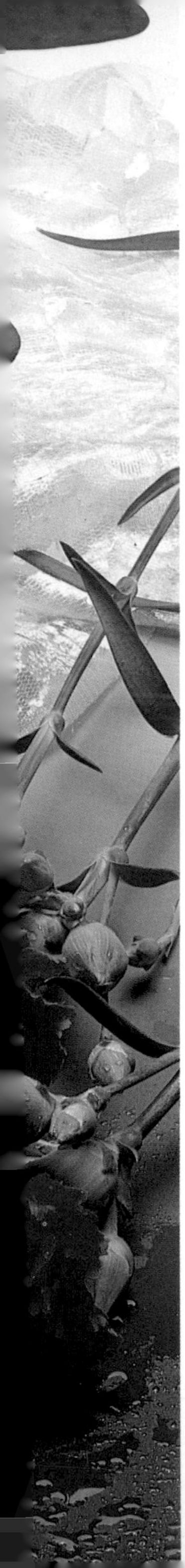

綠豆薏仁

材料： 綠豆半杯、薏仁半杯、清水16杯、砂糖少許。

作法：

❶將綠豆、薏仁洗淨，薏仁泡水待軟備用。

❷把薏仁加16杯水於鍋中，煮約15分鐘。

❸再將綠豆倒入鍋內和薏仁一起續煮至熟透即可。

❹將砂糖加於鍋內即起鍋。

綠豆粉條

材料： 綠豆1杯、龍口小寬粉2束、清水10杯、砂糖少許。

作法：

❶將綠豆、小寬粉洗淨，泡水待軟備用。

❷把綠豆加10杯水於鍋中煮沸。

❸然後將綠豆煮至8分熟。

❹加入小寬粉續煮至熟透。

❺將砂糖加入鍋內即成。

糯米桂圓粥

材料： 糯米1杯、桂圓肉少許、清水8杯、砂糖少許、米酒2大匙。

作法：

❶將糯米洗淨備用。

❷把糯米加8杯水於鍋內，煮約5分鐘。

❸把桂圓加入鍋內續煮至熟透。

❹將砂糖及少許米酒加入鍋內，即起鍋。

什錦水果粥

材料：

糯米1杯、罐裝水蜜桃3片、蓮子3兩、芋頭半條、桂圓肉少許、花生粉2大匙、清水8杯、香菜2棵、砂糖少許。

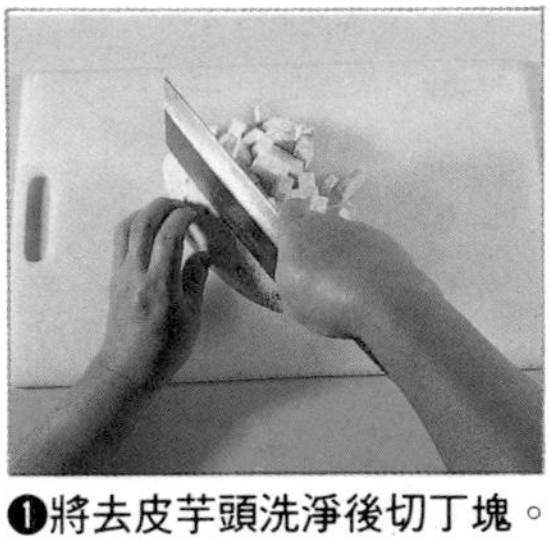

❶將去皮芋頭洗淨後切丁塊。

❷把糯米、蓮子洗淨備用。

❸將水蜜桃切丁塊、香菜切碎。

❹把糯米、蓮子、芋頭加8杯水於鍋中，煮約15分鐘。

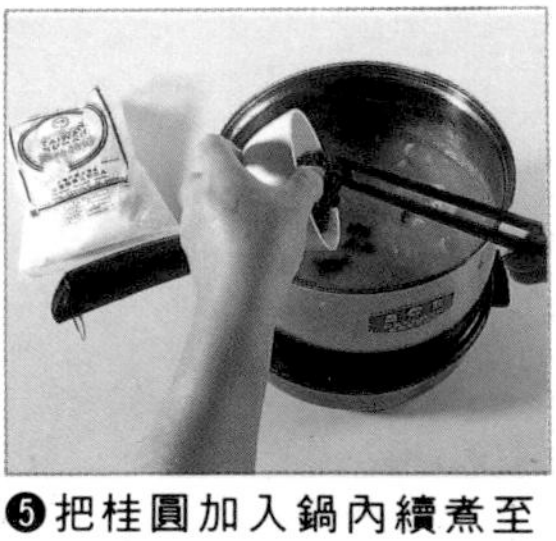

❺把桂圓加入鍋內續煮至熟透後，加入砂糖。

❻起鍋後盛入碗內，再把水蜜桃、花生粉、香菜擺放於碗內即成。

什錦湯圓

材料：湯圓半斤、紅豆4兩、花生仁2兩、桂圓肉少許、清水18杯、砂糖少許。

作法：

❶將紅豆泡水待軟後洗淨備用。

❷把紅豆加12杯清水於鍋內煮至熟透。

❸把花生仁、桂圓肉、砂糖一起擺放於鍋內。

❹另外用6杯清水煮沸，再將湯圓置入鍋內煮熟軟。

❺把已煮好的湯圓置入紅豆湯內即成。

八寶甜粥

材料：糯米半杯、薏仁⅓杯、紅豆⅓杯、桂圓肉少許、蓮子2兩、清水12杯、砂糖少許。

作法：

❶將薏仁、紅豆洗淨後泡水待軟。

❷將糯米洗淨備用。

❸把薏仁、紅豆加12杯水煮約20分鐘。

❹把蓮子、糯米、桂圓肉，加入鍋內續煮至熟透。

❺將砂糖加於粥內即成。

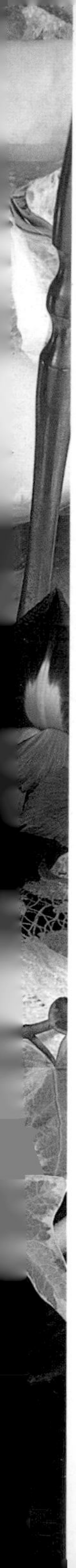

花菜蝦仁粥

材料： 白米1杯、花菜1朵（約5兩）、豬肉3兩、蝦仁3兩、牡蠣3兩、芹菜1棵、蔥2支、沙拉油3大匙、清水8杯、醬油、味精、鹽、黑胡椒少許。

作法：

❶將白米、蝦仁、豬肉、牡蠣、芹菜、蔥、花菜洗淨備用。

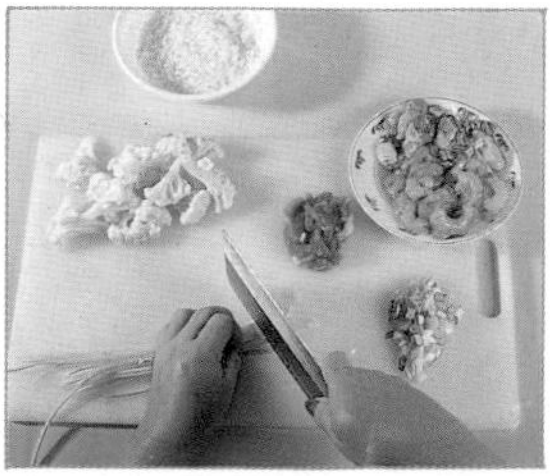

❷把花菜削成花朵狀，豬肉切絲，芹菜、蔥各切碎備用。

❸將沙拉油熱鍋後，加入蔥花、豬肉爆香，然後滴入少許醬油炒入味。

❹將白米下鍋，輕炒數下。

❺加入8杯清水於鍋中，待米煮約7分熟後，把花菜、牡蠣、蝦仁置入鍋內。

❻加入鹽、味精、黑胡椒粉及芹菜花即成。

3 DEF
6 MNO
JKL
9 WXY
8 TUV
#
0 OPER

豌豆肉絲粥

材料： 白米1杯、豌豆仁4兩、紅蘿蔔半條、
蝦仁3兩、豬肉3兩、沙拉油3大匙、
蔥2支、芹菜1棵、清水7杯、
醬油少許、
鹽、味精、
黑胡椒少許。

作法：

❶將白米、豌豆仁、紅蘿蔔、蝦仁、豬肉、蔥、芹菜洗淨備用。

❷把豬肉切絲，紅蘿蔔切丁塊，蔥和芹菜切碎備用。

❸將沙拉油熱鍋後，加入蔥花、豬肉爆香，然後滴入少許醬油炒入味。

❹把白米、豌豆仁、紅蘿蔔下鍋輕炒數下。

❺加入7杯清水於鍋中，待米煮熟透後，把蝦仁置入鍋內。

❻加入鹽、味精、黑胡椒粉及芹菜即成。

OXFORD
Second Edition
THE WORLD TRADE PUBLICATION FOR
THE WORLD TRADE PUBLICATION FOR

香菇肉焿麵

材料： 油麵半斤、豬肉3兩、香菇5朵、竹筍半支、大白菜¼棵、太白粉2大匙、蔥2支、蒜仁2粒、烏醋、砂糖、鹽、味精各少許、沙拉油1碗、清水4杯。

作法：

❶將豬肉、竹筍、大白菜、蔥、蒜仁洗淨，香菇泡水待軟。

❷把豬肉切片，香菇、竹筍、大白菜各切絲，蒜仁拍碎、蔥切碎備用。

❸將豬肉片沾上乾太白粉。

❹將1碗沙拉油熱鍋後，把豬肉片置入鍋內油炸呈金黃色即起鍋。

❺把蔥花、蒜仁、香菇爆香後，將大白菜、竹筍，置入鍋中輕炒數下。

加入4杯清水續煮至熟軟，然後加入砂糖、烏醋、味精，再加入太白粉調水勾芡。

把油炸好的豬肉片置入焿內。

鍋內放約2～4公升水，煮沸後把油麵燙熱即起鍋盛入碗盤內備用。

將煮好的材料淋在油麵上即成。

編後語

對幼嫩的小生命而言，食物是營養，而母親親手烹調的愛則是力量。也許您是位媽媽新鮮人，也許您不善烹調，但這都不是問題；《嬰幼兒食譜》願做您與小寶貝之間的橋樑，將您的愛傳入小寶貝的心窩。

徵稿

凡對餐飲或其他才藝有研究、有心得者，
歡迎您提供出構想和可行的計畫，
共同製作「感性生活」系列叢書，
以擴大服務讀者層面。